Dos judíos de Toledo

Nivel 2

Sergio Remedios Sánchez

GRUPO DIDASCALIA, S.A.
Plaza Ciudad de Salta, 3 - 28043 MADRID - (ESPAÑA)
TEL.: (34) 914.165.511 - (34) 915.106.710
FAX: (34) 914.165.411
e-mail: edelsa@edelsa.es - www.edelsa.es

Dos judíos de Toledo

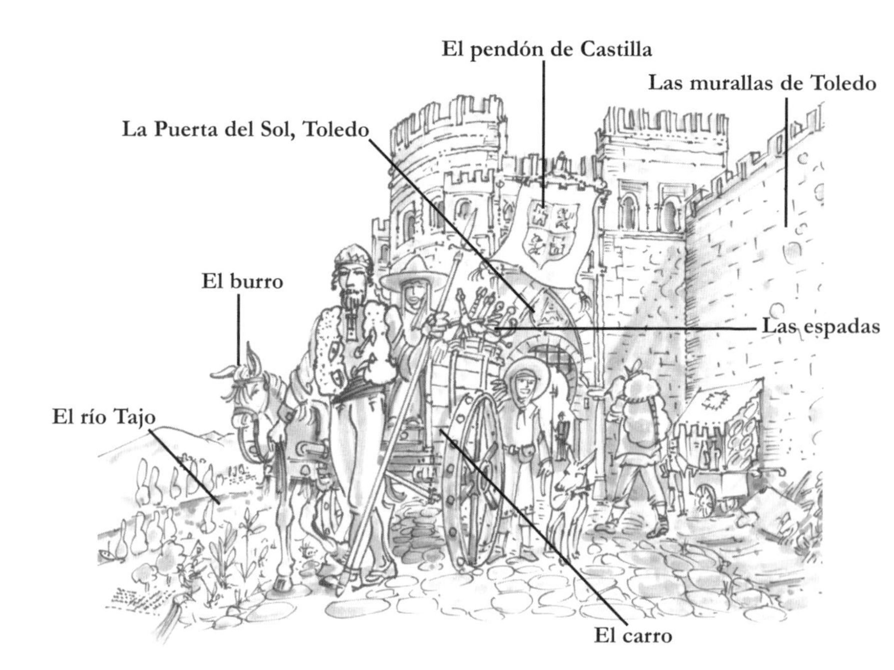

CRONOLOGÍA HISTÓRICA

Hecho	Fecha	Explicación
Se establece la Inquisición en España.	**1478**	El papa obligó a los Reyes Católicos a establecer la Inquisición en España para luchar contra la brujería, herejía, judaísmo y cualquier cosa que pueda atacar a la Iglesia católica.
Los Reyes Católicos, Isabel y Fernando, completan la Reconquista con la toma de Granada.	vd. está aquí. **1 de enero de 1492**	Boabdil, ultimo rey nazarí de Granada, entrega las llaves de la ciudad a los Reyes Católicos.
Los Reyes Católicos firman el Decreto de Expulsión de los judíos.	**31 de marzo de 1492**	Según el decreto, todos los judíos que viven en España deben convertirse al catolicismo o abandonar el país en un plazo de tres meses sin llevarse oro ni plata.
Fin del plazo de Decreto de Expulsión.	**31 de julio de 1492**	Todos los judíos españoles tienen que haber salido del país o haberse convertido al catolicismo.
Se prohíbe el judaísmo en España.	**1499**	Hasta esa fecha los judíos sefardíes que se convierten al cristianismo pueden volver a España. A partir de este año queda completamente prohibido.
Felipe III firma el Decreto de Expulsión de los moriscos.	**1609**	Los moriscos eran los musulmanes que vivían en territorio cristiano. Por este decreto desaparece la religión islámica en España. Se convierte así en un país de una única religión.

Dos judíos de Toledo

Después de la rendición de Granada[1] hay una gran alegría en los reinos gobernados por los Reyes Católicos[2], porque han logrado expulsar al enemigo de los reinos cristianos peninsulares. El sentimiento católico de la mayoría de la población crece gracias a las victorias contra los musulmanes.

Desde hace algún tiempo existe una gran desconfianza hacia los judíos entre bastantes personas, a causa de tristes sucesos apoyados por la Inquisición[3], dirigida por el cruel Tomás de Torquemada[4]. En efecto, al mismo tiempo que crece el orgullo católico de un país vencedor ante los nazaríes[5] de Granada, crece también el odio y la desconfianza hacia los judíos.

Es en esta difícil situación en la que se criaron Esaú y Yusuf, dos jóvenes judíos de la aljama[6] de Toledo. Los dos son primos. Yusuf tiene dos años más que Esaú y siempre quiere protegerlo. Entonces era un chico serio y

1 -El 1 de enero de 1492 Boabdil, el último rey de Granada, entrega las llaves de la ciudad a los reyes Católicos.
2 -Los Reyes Católicos son Isabel I de Castilla y Fernando II de Aragón.
3 -La Inquisición se establece en España en 1478, por una bula del Papa Sixto IV.
4 -Tomás de Torquemada (1420-1498). Inquisidor General, fue el gran impulsor de la expulsión de los judíos de España.
5 -Última dinastía musulmana que gobernó el reino de Granada.
6 -Las aljamas o juderías son los barrios judíos de las ciudades.

muy responsable: ayudaba a su padre en el negocio y destacaba entre los otros niños por lo bien que conocía las escrituras. Sin embargo, Esaú siempre estaba haciendo **travesuras** y metiéndose en **líos**. Nunca estaba en el negocio familiar y casi todos los días le **regañaban** por no escuchar a sus profesores.

Sus padres eran hermanos y tenían dos negocios que habían heredado de su padre, un notable judío que tuvo mucha influencia en la época en que la reina Isabel luchaba por el trono de Castilla contra su sobrina, Juana la Beltraneja[7]. El negocio que heredó el padre de Yusuf no daba tanto dinero como el de Esaú, pero era mucho más estable y, lo que más le gustaba, permitía ayudar a sus vecinos cuando era necesario. Tenían un **molino** con **horno**. Allí iban a **moler el grano** los campesinos y se hacían panes y otros alimentos, además de **repostería**, para las familias que se lo podían pagar.

El padre de Esaú **heredó** el taller de armas. En una época con tantas guerras habían prosperado muchísimo. Las espadas de **acero** toledano son de las más famosas del mundo y, dentro de las de Toledo, las del taller del padre de Esaú eran las más prestigiosas. Durante la Reconquista, el negocio de las armas dio tanto dinero que sus antepasados pudieron ampliarlo y, además de otros muchos negocios, hicieron el molino y el horno.

Travesura: acción mala de los niños, de poca importancia.
Lío: confusión.
Regañar: expresar enfado.

Molino: máquina para hacer harina.
Horno: lugar para asar pan.
Moler el grano: hacer harina de las semillas de trigo.
Repostería: dulces, pasteles y tartas.
Heredar: Recibir algo después de la muerte de los padres.
Acero: metal hecho de hierro y carbono.

7 -Sobrina de Isabel la Católica y legítima heredera al trono.

A medida que fueron creciendo, Esaú y Yusuf se hicieron más amigos. Esaú, aunque era vago, trabajaba algo más. Por su parte, Yusuf, aunque seguía siendo muy trabajador, a veces salía a divertirse con su primo. En definitiva, ambos se influenciaron mutuamente. Corrían con los demás chicos alrededor del gran Alcázar jugando a la Reconquista, con espadas de madera. Cuando algunas niñas se juntaban con ellos, jugaban a **rescatar** princesas y hacer **torneos** en los que Yusuf siempre hacía de caballo y Esaú de caballero.

Rescatar: salvar.
Torneo: lucha a caballo.

Por desgracia para los dos, cuando Esaú tenía quince años, su padre murió y él tuvo que hacerse cargo del negocio familiar y dejar de ser un joven sin preocupaciones para tener responsabilidades y cuidar de su madre y de su hermana pequeña. Para alegría suya, en esa época había vuelto la guerra. Los Reyes Católicos se lanzaron a conquistar el último reino musulmán de la península, el de Granada. Por este motivo, tenía mucho trabajo en la **armería** y en poco tiempo aprendió lo que no había hecho en muchos años.

Armería: fábrica de armas.

El cambio en la vida de su primo fue también un cambio en la de Yusuf. Volvió a ser el joven responsable que siempre ayudaba a su padre en todo y que destacaba entre los jóvenes en el estudio, que su primo ya había dejado para centrarse en el trabajo.

Con los años, Esaú se convirtió en un experto fabricante de espadas, y el negocio dio mucho dinero gracias a la larga guerra contra Granada. El molino y el horno funcionaban mejor que nunca, porque fabricaban comida para las tropas castellanas. Los dos negocios **florecieron**. Esaú se casó con Iselda, una de las "princesas" que rescataban cuando jugaban de niños. Yusuf seguía trabajando con su padre y estudiando. Los **rabinos** querían hacerle sacerdote también, porque era muy aplicado y conocía muy bien los textos sagrados.

Florecer: crecer.

Rabino: maestro hebreo de las Escrituras.

Un día llega la noticia de que la guerra ha acabado. Boabdil ha entregado las llaves de la ciudad a los Reyes Católicos. Toda la península es otra vez cristiana.

-Por fin, Esaú. La guerra ha terminado -dice Yusuf entrando en la armería de su primo.

-No sé por qué te alegras, primo, ¿ahora de qué voy a comer? -dice serio Esaú.

-Hombre, no seas así. Tú solo piensas en ti. Ya habrá más guerras, Esaú -responde Yusuf.

-No sé con quién. Ya no hay más península que conquistar y cada día se utilizan más las **armas de fuego**. Me preocupa dar de comer a mi madre y mi hermana. Además, Yusuf, han ganado los cristianos. No nos van a

Armas de fuego: armas que utilizan la pólvora, como pistolas, etc.

hacer compañeros suyos en la victoria.

-Pero, Esaú, han ganado con dinero judío. Eso no lo pueden negar. Abraham Seneor e Isaac Abrabanel[8] han pagado una gran parte de los **gastos** de la guerra -dice Yusuf.

Gasto: dinero, precio de algo.

-Bueno, eso ya lo veremos. Mañana comemos juntos, es el cumpleaños de mi hermana. Díselo a tus padres -grita Esaú mientras su primo se marcha un poco **desilusionado**.

Desilusionado: sin ilusión, triste.

Pasan los días y la vida en Toledo, a pesar del final de la guerra, sigue igual. A veces se ven grandes grupos de soldados de regreso a casa, unos de paso y otros para quedarse. Pero la situación de los judíos empieza a **empeorar**, por la influencia de la Inquisición, cada vez más gente los mira mal y los evita.

Empeorar: ser peor.

A Esaú el negocio todavía le va bien, porque es el mejor taller de armas y tiene pedidos hasta de otros países de Europa, pero a su primo no tanto. Al horno cada vez va menos gente. La mayoría de los clientes son judíos. Afortunadamente, la comunidad judía de Toledo es muy grande y les da para vivir, pero el molino cada vez tiene menos actividad, porque las tierras en su mayoría, son de nobles o de campesinos cristianos que ya no **se fían** de los judíos.

Fiarse: tener confianza.

8 -Los dos judíos más ricos y famosos de la época. Seneor era el rabino mayor de Castilla.

-Yusuf, ¿qué tal va todo? -pregunta Esaú a su primo.

-Bueno, más o menos. ¿Dónde vas con el **carro** lleno de espadas? -dice Yusuf.

-A las afueras, a venderlas a un **mercader** francés que se va hoy a Valencia -responde Esaú.

-Qué suerte tienes, yo cada día tengo menos negocio. Espera un momento, que tengo que llevar unos panes al **Alcázar** -dice Yusuf.

-Pues, venga, que tengo prisa, primo -responde Esaú.

Yusuf se pone a la espalda un **cesto** lleno de panes y sale del horno con su primo. Lo suben al carro de Esaú y empiezan a caminar. Las calles de la aljama son estrechas y, como son muy conocidos, tienen que parar frecuentemente para saludar a la gente que se encuentran. Cuando llegan al final de la aljama, se separan. Yusuf tiene que subir las calles que llevan al Alcázar y Esaú tiene que bajar hacia el río para cruzar el puente e ir al otro lado, donde le espera el mercader francés.

-Bueno, Esaú, ayúdame a subirme el cesto a la espalda -dice Yusuf.

-Vaya primo mayor que tengo, que no puede con un

Carro: vehículo movido por animales.

Mercader: comerciante, vendedor.

Alcázar: castillo, palacio.

Cesto: cesta, bolsa.

cesto -se ríe Esaú mientras ayuda a su primo.

-Yo todavía no estoy casado, tú ya eres todo un hombre -responde Yusuf también riéndose.

-Eso es algo en lo que tienes que empezar a pensar. Te haces mayor y ya no te van a querer las muchachas -dice Esaú mientras gira a la izquierda para ir a la parte baja de la ciudad.

-¡Ja, ja, ja! Bueno, primo, hasta luego. Suerte en tus negocios con el francés -se despide Yusuf mientras empieza a subir la calle que le conduce a la plaza de Zocodover[9].

- Adiós, Yusuf -responde Esaú.

Los dos se separan y continúan sus caminos. Yusuf, después de subir por unas calles y pasar por la catedral, llega a la plaza Zocodover. La cruza y llega al Alcázar. Es grandioso. Un monumento que destaca entre todos los demás de la ciudad. Además, al estar en lo más alto, se ve desde lejos. Yusuf **rodea** la parte oeste del Alcázar y llama a una puerta donde el **encargado** de la cocina le espera para comprarle el pan.

Rodear: dar la vuelta.
Encargado: persona responsable de algo.

-Hola, Yusuf, ¿qué tal va todo? -pregunta el cocinero.

9 -Plaza principal de la ciudad vieja.

-He tenido tiempos mejores -responde un poco triste Yusuf.

-Pues lo siento, pero van a ser aún peores -le dice el cocinero.

-¿Y eso? -responde alarmado Yusuf.

-Porque, por órdenes de los jefes, no me dejan comprarte más pan. Les he dicho que, mientras encuentro otro horno que me dé el pan a un buen precio, voy a seguir comprándote, pero me han respondido que tengo una semana para encontrar un nuevo horno o me despiden -dice con tristeza el cocinero.

-Maldita sea. Esos curas de la Inquisición no nos dejan en paz -dice enfadado Yusuf.

-Cuidado, que te va a oír alguien -dice **asustado** el cocinero.

Asustado: con miedo.

-Yo no les tengo miedo. No soy cristiano, no estoy bajo su autoridad, no me pueden hacer nada -dice muy seguro de sí mismo Yusuf.

-Puede que no, pero te están arruinando el negocio. Nosotros éramos el único cliente no judío que tenías, ¿qué vas a hacer ahora? -le pregunta el cocinero.

-Pues seguir trabajando, aunque sea solo para los míos. Ganaré menos dinero, pero tendré más tiempo libre -responde Yusuf.

-Bueno, ya sabes, hasta el final de la semana sigue trayéndome el pan. Ya tengo otro horno, pero quería darte unos días y no dejarte sin avisar -dice el cocinero.

-Gracias, amigo. Hasta luego -dice Yusuf.

Se despiden y Yusuf vuelve andando tranquilamente por la plaza y mirando en las tiendas ambulantes que hay en ella. Piensa que, con los clientes que le quedan, va a tener mucho tiempo libre y que, quizás, es hora de casarse y formar una familia o decidirse por entrar en la **sinagoga** y llegar a ser rabino.

Sinagoga: templo judío.

Mientras Yusuf iba al Alcázar, Esaú llega a las afueras de Toledo y, después de cruzar el río Tajo[10] por el puente romano[11], se reúne con el mercader francés con el que había quedado.

El francés está a punto de salir hacia Valencia para subir allí a un barco que le lleve a Marsella, su ciudad. Por eso tiene prisa por cerrar el negocio y por eso **se ha citado** con Esaú en la salida oriental de ciudad, para ganar tiempo. Lo tiene todo preparado. Tres grandes carros llenos de mercancías y un cuarto que parece

Citarse: encontrarse.

10 -Río que pasa por Toledo, es el más largo de la Península Ibérica.
11 -A día de hoy el puente romano sigue en pie y se sigue utilizando. Otros puentes más modernos de la ciudad han sido destruidos en crecidas del Tajo, pero el romano ha resistido a lo largo de los siglos.

ser su despacho y habitación. Allí suben los dos para cerrar el **trato**.

Trato: negocio, acuerdo.

-Muy acogedora tu carreta, francés -dice Esaú.

-Muchas gracias por el cumplido, judío, pero tengo prisa, así que hablemos del dinero, por favor -responde amistosamente el francés.

Después de **regatear** un poco, alcanzan un acuerdo que alegra a los dos.

Regatear: discutir sobre el precio de una compra.

-Ha sido un placer hacer negocios contigo, judío -dice el francés.

-Lo mismo digo: un precio justo por una buena mercancía y sin discusiones. Hacía mucho que no lograba hacer un negocio tan bien -responde Esaú.

-Tienes razón. Por cierto, amigo, **corren malos tiempos** por aquí para los tuyos. Así que, si decides irte o las cosas se ponen muy mal, ven a Génova y pregunta por mí. Aunque soy de Marsella y tengo negocios allí, vivo en Génova -dice el francés.

Correr malos tiempos: ser una época difícil.

-Muchas gracias. Buen viaje -dice Esaú mientras baja del carro.

-Hasta pronto -dice el francés.

Mientras Esaú cruza el puente romano para entrar de nuevo en la ciudad, el mercader francés da órdenes a sus sirvientes para empezar el viaje.

Mejorar: ser mejor.

Pasa el tiempo en Toledo y las cosas no **mejoran** para los judíos. Yusuf solo tiene clientes judíos en el horno y tiene casi parado el molino. Con tanto tiempo libre, se ha vuelto a centrar en sus estudios, aunque todavía no tiene claro si quiere ser rabino. Su padre le insiste en que estudie, porque tal y como va el negocio le va a venir bien.

Esaú sigue trabajando y trabajando en el taller de armas. A pesar del final de la guerra de Granada, hay mucho trabajo. Iselda está embarazada. Están todos muy felices.

-¡Muchas felicidades, papá! -dice muy contento Yusuf.

-Gracias, primo. Ahora sí que soy todo un hombre, ja, ja, ja -dice Esaú riéndose.

-Pues sí que es verdad, ya te veo hasta con más barba -contesta también riendo Yusuf. -Por lo contento que te veo, supongo que estás totalmente feliz de ser padre.

-La verdad es que sí, Yusuf. No son los mejores tiempos para tener un hijo en este país, **sobre todo** siendo judío, pero es una bendición -responde Esaú.

Sobre todo: especialmente.

-A ver si es niño, para trabajar en el taller de su padre -dice Yusuf.

-Eso espero. Trabajar en la fragua es muy duro -contesta Esaú.

Mientras están hablando los dos de tan buen humor, entra un joven en el taller de Esaú, al que los rabinos utilizan para dar las noticias por la aljama. Está asustado.

-¿Qué sucede, chico? -pregunta Esaú mientras el mensajero toma un poco de aire.

- Noticias, las peores noticias -dice entre **jadeos**.

Jadeo: respiración fuerte por el trabajo hecho.

- Habla ya, chico -dice Yusuf.

- Nos echan -dice todavía **jadeando**.

Jadear: respirar fuertemente por un trabajo hecho.

-Chico, habla más claro. Toma aire y cuéntanos -dice Esaú.

El chico se toma unos segundos y bebe un poco de agua que le da Esaú antes de volver a hablar.

Malvado: malo.

-Los reyes, por insistencia del **malvado** Torquemada, han decretado la expulsión de todos nosotros de sus reinos -dice de repente el chico.

-Hay reuniones en todas las sinagogas. Id a ellas y que las mujeres y los niños no salgan de las casas.

Después de decir eso y dar las gracias por el agua, sale corriendo para seguir dando su mensaje al resto de la aljama.

-¿Qué vamos a hacer ahora? -dice Yusuf.

-Pues ir a la reunión -contesta Esaú. -Y si las cosas están tan mal, pues nos iremos de aquí.

-Es que yo no me quiero ir de aquí. Yo soy tan toledano como cualquier cristiano, e incluso más. Nuestra familia lleva aquí muchas generaciones, la mayoría de los cristianos llegaron con la Reconquista[12].

Rato: tiempo

-Bueno, tranquilízate, Yusuf. Ve a tu casa a informar a tu familia y nos vemos allí en un **rato**, después nos vamos a la sinagoga que está al lado de tu casa a ver qué nos cuentan -dice Esaú, bastante más tranquilo que su primo.

-De acuerdo -contesta Yusuf.

12 -Toledo fue reconquistada por los reyes castellanos a principios del siglo XI d. C.

Se despiden y Yusuf se va corriendo hacia su casa. Esaú dice a todos los trabajadores del taller que se vayan a sus casas. Cierra el taller y va a la suya, para informar a su madre, a Iselda y a su hermana. Les dice que no salgan hasta que él vuelva y se va a casa de Yusuf.

Las calles de la aljama tienen mucha más actividad de lo habitual. La gente corre nerviosa de un sitio a otro. Se oyen **portazos**, golpes de **martillos** que clavan maderas en las ventanas de las casas y ruido de mujeres quitando de sus puertas y ventanas cualquier signo judío.

Portazo: sonido de una puerta al cerrarse con fuerza.
Martillo: herramienta.

Esaú llega a casa de Yusuf y, con su primo y su tío, van a la sinagoga. Al entrar en ella, el chico que les dio la noticia les saluda de nuevo, cierra la puerta y echa el cerrojo. La sinagoga está llena de gente. Hay un gran **barullo** por las discusiones.

Barullo: ruido de gente hablando.
Anciano: persona mayor, viejo.
Decreto: ley.

El rabino más **anciano** pide silencio y empieza a hablar. Les dice que el **decreto** de expulsión es una realidad y no un rumor, que tienen todos hasta finales de julio para vender sus posesiones y marcharse o convertirse al cristianismo. Les dice también que el rabino mayor de Castilla, Abraham Seneor, les aconseja que esperen un poco para tomar cualquier decisión, por si los Reyes Católicos cambian de idea, y les recuerda que convertirse al cristianismo, aunque es una solución, tiene como problema el ser perseguidos por la

Inquisición, que vigila que los conversos no hagan ritos judíos en su intimidad. También les recomienda salir lo menos posible de la aljama y no llevar ni ropa, ni símbolos, ni nada que sea judío.

-Eso es una tontería. En Toledo todo el mundo sabe quién es judío y quién es cristiano -dice el padre de Yusuf.

-Tiene razón, tío. Pero haga caso. Quizás creen que se ha convertido y no le insultan -responde Esaú.

Fanático: extremista.

Exaltado: sin moderación ni calma.

Cuando salen de la sinagoga, las calles están vacías. Algunos cristianos **fanáticos** han estado por allí y la sinagoga está manchada por huevos rotos. Todos los carros y tiendas que había en las callejuelas han sido destrozados, incluso se encuentran con un hombre al que un grupo de cristianos **exaltados** ha pegado.

Pasan los días y las cosas no cambian mucho. Los judíos, por miedo, apenas salen de la aljama y de vez en cuando se esconden, porque grupos de cristianos van a buscarlos. En estos primeros días algunos vecinos de Yusuf y Esaú deciden marcharse fuera de Toledo a un lugar donde no les conozcan o incluso al extranjero. Otros se convierten al cristianismo y se van a vivir fuera de la aljama para evitar sospechas.

-Bueno, primo -dice Yusuf. -Creo que tenemos que esperar un poco a ver qué pasa. Quizás los reyes **entran en razón**. No pueden echarnos a todos, y en especial con el dinero que tienen algunos de los nuestros.

Entrar en razón: ser razonable.

-Yusuf, ¿no has pensado que los que son muy ricos ya tendrán pactado con los reyes algo para evitar la persecución? Se convertirán al cristianismo o les darán parte de su fortuna a los reyes para que les dejen salir con el resto -responde Esaú.

-Puede ser, pero, como todavía tenemos más de dos meses para irnos, podemos esperar un poco a ver qué sucede. En el caso de que todo siga igual, nos dará tiempo a pensar qué podemos hacer -dice Yusuf.

-Pues para mí está muy claro: si no cambia nada, yo me voy con mi mujer, mi madre y mi hermana -contesta muy convencido Esaú.

-¿Estás seguro? Tú, que no eres tan creyente, ¿no has pensado en la conversión? -pregunta sorprendido Yusuf.

-No, en absoluto. Primero, Iselda no lo **admitiría** nunca. Además, que yo no sea un gran estudioso de las escrituras y que no esté de acuerdo con bastantes cosas de nuestra religión, no quiere decir que no sea tan judío como cualquier otro -responde Esaú.

Admitir: aceptar.

Costarle: ser difícil.

-Eso es verdad, pero yo te digo que por muy creyente que sea, creo que irme de aquí **me costaría** más que convertirme al cristianismo. Claro está que luego en mi casa seguiría siendo un judío más -dice Yusuf.

-Ya, pero tienes que saber que, si te conviertes al cristianismo, la Inquisición te va a vigilar y, con tu pasado casi de rabino, seguro que te persiguen -dice Esaú.

-No creo -dice Yusuf.

-Pregúntaselo a esas pobres mujeres a las que acusan de ser brujas[13] -responde Esaú. -Yo que tú, si las cosas siguen así, me iría de aquí.

Después del primer mes de hacerse oficial el decreto, la mayoría de los judíos siguen en la aljama de Toledo. A pesar de ello, bastantes se han ido e incluso se han convertido. La Inquisición ya ha capturado a algunos y unos cuantos han muerto a causa de las torturas. Los negocios van peor. Yusuf, que solo tenía a judíos como clientes, ve como, poco a poco, todos se están yendo.

Poner pegas: dar problemas.

Sin embargo, Esaú sigue teniendo el taller a pleno rendimiento. Como es el mejor taller de Toledo, nadie le **pone pegas** por ser judío. Aunque últimamente le están intentando rebajar los precios por la mala situación que pasan los suyos, él de momento sigue bien.

13 -La Inquisición también tenía como misión descubrir y castigar a las brujas. Estas eran acusadas de pactar con el diablo a cambio de poderes.

-Esaú, me ha dicho mi padre que el rabino mayor, Abraham Seneor, se ha convertido al cristianismo con los Reyes Católicos como padrinos. Lo ha hecho en el monasterio de Guadalupe[14] y además le han dado muchos cargos[15] que antes no podía tener por no ser cristiano -dice indignado Yusuf.

-Te lo dije, Yusuf, que los grandes mercaderes y los banqueros influyentes iban a salvar su riqueza y su vida -responde Esaú.

-Hasta se ha cambiado el nombre, ahora se llama Fernán Núñez. ¡Qué vergüenza! -dice Yusuf.

-Bueno, no **te ofendas** tanto. Seguro que en su casa sigue siendo judío. Tú mismo estás pensando en hacer lo mismo -dice Esaú.

Ofenderse: enfadarse, sentirse mal.

-No es lo mismo y lo sabes. Los ricos lo hacen para mantener su fortuna y su poder. Si yo lo acabo haciendo es porque me encanta mi ciudad y mi vida tal y como es -contesta Yusuf.

-Di lo que quieras, Yusuf, pero la vida que tienes la puedes tener en cualquier sitio y una ciudad que te trata como **basura** no merece que la quieras tanto. Yo el mes que viene seguramente me voy de aquí. Pero todavía

Basura: poco o nada importante.

14 -El Real Monasterio de Santa María de Guadalupe (Extremadura, España) es uno de los símbolos más importantes de los cristianos españoles. Hoy es Patrimonio de la Humanidad por su valor artístico.

15 -El 15 de junio de 1492, Seneor se convirtió al catolicismo junto con toda su familia. En los días siguientes fue nombrado Regidor de Segovia, miembro del Consejo Real y Contador Mayor del príncipe Juan.

voy a esperar un poco. Tengo mucho trabajo en el taller.

-Pues no trabajes tanto, porque todo el dinero que hagas no te lo vas a poder llevar contigo. Recuerda que la ley no nos deja irnos con oro o plata -dice Yusuf.

Arreglárselas: encontrar una solución.
Hacer falta: ser necesario.

-No te preocupes por eso, que ya **me las arreglaré** para llevarme lo que **haga falta** -responde Esaú.

Después de dejar pasar unas semanas y ver que las cosas no cambian, los dos primos se reúnen para decidir qué quieren hacer. Más de la mitad de los judíos han abandonado la ciudad y, de los que quedan, la mayoría se ha bautizado[16].

-Estoy decidido a marcharme en unos días -dice rápidamente Esaú.

Opinar: pensar.

-Ya me imaginaba que dirías eso. Yo no puedo irme. Mi padre dice que prefiere morir a irse de Toledo, y yo me voy a quedar con él. Además, sabes que **opino** igual que él -dice Yusuf.

-Vas a tener que bautizarte. ¿Estás seguro de querer hacerlo? -pregunta Esaú.

16 -Ritual por el que se entra en la comunidad cristiana.

-No quiero hacerlo, pero **no me queda más remedio**. La otra opción es no hacerlo y que me maten a principios de agosto. Seguro que los inquisidores saben bien quién se ha bautizado y quién no -dice Yusuf.

-Eso seguro. Sabes que lo vais a pasar muy mal si os quedáis. Siempre van a dudar de vosotros -dice Esaú.

-Bueno, ¿y tú qué vas a hacer? -pregunta Yusuf.

-Pues me voy a marchar a Génova. El mercader francés con el que hago negocios me dijo que, si se ponían las cosas muy mal por aquí, me ayudaría a empezar de nuevo -responde Esaú.

-¡Qué lejos! ¿Y cómo vas a ir hasta allí? -vuelve a preguntar Yusuf.

-Iré a Lisboa y de allí en barco a Génova. Por cierto, Yusuf, pienso dejarte el taller. No voy a permitir que ningún cristiano se aproveche de **las prisas** para quedarse con mi negocio por un poco de dinero, como alguno ha intentado ya -dice Esaú.

-Pero yo no sé nada de armas. Además, no te puedo pagar lo que vale -dice sorprendido.

No quedar más remedio: no haber otra posibilidad.

Las prisas: poco tiempo.

Avisar: decir.
Ganancia: beneficio, dinero.

-Te he dicho dejar, no vender, ni regalar. Tú te quedas con el negocio y, cuando yo te **avise** de dónde estoy, me envías dinero con la mitad de las **ganancias** que haga el taller y con todo lo que no me pueda llevar, que dejaré a tu cuidado -dice Esaú.

-Pues sí que lo tienes todo pensado. Pero yo no voy a sacar gran beneficio al taller. Te vuelvo a decir que yo no sé de armas -insiste Yusuf.

-Eso no importa. Los trabajadores se van a quedar. Se bautizan como tú. Así que no tendrán problemas en seguir trabajando en el taller si el dueño también es oficialmente cristiano.

-Bueno, veo que piensas en todo. Pues acepto. Es mejor que el taller siga en la familia. A tu padre y al abuelo les gustaría -dice emocionado Yusuf.

-Ellos habrían hecho lo mismo -responde Esaú igual de emocionado que Yusuf.

Aprobar: parecer bien.

Los dos se dan un gran abrazo y deciden que van a cenar todos juntos a casa de Yusuf. Esa noche, en la cena, los dos primos dicen a su familia lo que van a hacer. La madre de Esaú no **aprueba** la decisión de su hijo y decide quedarse en Toledo junto con Yusuf y su familia.

En los siguientes días, Yusuf empieza a trabajar en el taller, para aprender lo básico. Los empleados de Esaú conocen desde hace años a Yusuf, por lo que les gusta la noticia de que va a ser su nuevo jefe. Algunos de ellos llevan grandes **crucifijos** en el cuello para que se vea bien claro que ya no son judíos.

Crucifijo: signo de los cristianos, imagen de Cristo en la cruz.

La aljama ha cambiado mucho en este tiempo. Negocios prósperos que llevaban muchas generaciones dirigidos por familias judías, han sido comprados a bajo precio por **aprovechados** que se hicieron ricos en pocos años.

Aprovechado: persona que utiliza a los demás para sus negocios.

El día de la marcha de Esaú por fin ha llegado. A mediados de julio, con mucho calor, todos van al puente al oeste de la ciudad para despedirse de él, de su mujer embarazada y de su hermana, que también se va con ellos.

-¿Sabes cómo vais a ir hasta Lisboa? -pregunta su madre preocupada por la marcha de sus hijos.

-Claro que sí, madre. Además, el Tajo **desemboca** en Lisboa: llegaré sin problemas siguiendo el río -responde Esaú a su madre.

Desembocar: terminar.

-Hijo, tened mucho cuidado y huid de las ciudades y de todos los cristianos a los que veáis -dice entre lágrimas la madre de Esaú.

-No se preocupe, madre, que lo tendré. No dejaré que les pase nada ni a Iselda ni a mi hermana -dice Esaú para tranquilizarla.

-Bueno, adiós a todos. Yusuf, cuídame todo. Tío, que no le falte de nada a mi madre, por favor -dice Esaú.

-Adiós, primo, mucha suerte. No te preocupes, que yo me encargaré de todo. Buen viaje -dice Yusuf con lágrimas en los ojos.

Esaú, su hermana e Iselda se despiden de Yusuf, de sus padres y de la madre de Esaú. Entre abrazos y lágrimas, los tres cruzan el puente y se van por la orilla del río, hacia el oeste.

Esaú lleva un carro con un burro para hacer el viaje. No es muy rápido, pero es mejor que ir a pie. Además, andando no les iba a dar tiempo a cruzar la frontera con Portugal en menos de quince días, que son los que tienen para abandonar Castilla.

Con el calor del verano, el viaje se hace un poco duro, sobre todo para Iselda, que ya tiene las molestias normales de las embarazadas.

Mientras tanto, en Toledo, Yusuf prepara todo para el bautizo de toda su familia. Su padre sigue negán-

dose a bautizarse, pero finalmente tiene que hacerlo por miedo a la Inquisición.

Mientras Esaú cruza Extremadura[17] hacia Portugal, Yusuf y toda su familia son bautizados en una pequeña iglesia a las afueras de la ciudad. Se aseguran de recibir los papeles firmados por el cura, con sus nuevos nombres, para poder demostrar que son oficialmente cristianos. Yusuf ahora se llama José Espadas.

El horno, debido a los pocos clientes que quedan, da poco trabajo, así que el padre de Yusuf trabaja solo. Yusuf se hizo muy rápido con el negocio, aunque tenía poca experiencia en la fabricación de armas. No tenía más que dejar hacer a los trabajadores, que sabían hacer muy bien su trabajo. Día a día, va aprendiendo nuevas cosas.

Esaú y sus compañeras de viaje se van encontrando a muchos judíos por el camino que van en la misma dirección que ellos. Casi todos son artesanos y pequeños comerciantes. La mayoría ha tenido que vender sus negocios y propiedades a muy bajo precio por las prisas. Todos van **apenados**, casi todos tienen historias muy tristes que contar.

Apenado: triste.

Los judíos expulsados han hecho un grupo muy grande para poder protegerse en caso de algún ataque por

17 -Región al oeste de Castilla que hacía frontera con Portugal. En la actualidad es una Comunidad autónoma dividida en dos provincias (Cáceres y Badajoz), que siguen siendo la frontera natural más larga que tiene España con Portugal.

parte de grupos cristianos exaltados o de posibles ladrones de lo poco que les queda.

En la frontera con Portugal hay militares castellanos que se aseguran de que los judíos salgan del país sin oro ni plata, tal y como decía el decreto de expulsión. Después de unas horas esperando para poder pasar los controles de vigilancia, Esaú, su hermana e Iselda, por fin pasan la frontera.

Yusuf, debido a la nueva situación, ya no piensa más en ser rabino y empieza a pensar en casarse para formar una familia. Duda entre buscar mujer entre las familias judías conversas o buscarla entre los cristianos. La segunda opción le ahorraría muchos problemas con la Inquisición, pero seguramente ningún padre cristiano va a aceptarle tan fácilmente como yerno.

Se acaba el mes de julio, con Esaú a salvo ya en Portugal y lejos del alcance de la Inquisición española. Pero en la aljama de Toledo, a pesar de la conversión de todos los que se han quedado, la Inquisición empieza a interrogar a personas.

Espías de la Inquisición que se hacen pasar por mercaderes, clientes en las tiendas y viajeros, hacen preguntas a todo el mundo para intentar averiguar si los judíos son conversos de verdad o si en la intimidad siguen

practicando sus ritos judíos.

Encarcelan a algunas personas porque han sido **delatados** por gente anónima y la situación empieza a ponerse muy mal. Los judíos no confían los unos en los otros. Uno de los trabajadores del taller desapareció durante casi una semana y apareció después con muchas heridas, contando historias de torturas en la cárcel.

Encarcelar: meter en la cárcel.
Delatar: acusar.

Por esas mismas fechas, Esaú llega a Lisboa. La ciudad está en su mayor apogeo, es mucho más grande que Toledo. El río es inmenso en su desembocadura y el puerto con el Océano Atlántico de fondo es impresionante para alguien que nunca ha visto el mar.

Esaú empieza a moverse por el puerto y a pagar pequeñas cantidades del dinero que ha logrado pasar por la frontera, para conseguir información e intentar comprar pasajes para algún barco a Génova.

Yusuf, viendo lo peligrosa que se está volviendo la situación, decide buscar esposa entre los cristianos viejos[18]. Conoce a mucha gente de la época en la que el horno iba bien y llevaba panes por toda la ciudad, y va a intentar convencer a algún antiguo cliente para casarse con su hija. Pero los primeros intentos de Yusuf no son buenos. Los padres no quieren ni oír hablar de casar a sus hijas con un judío converso. Rápidamente los infor-

18 -Término que se utilizaba para definir a los que eran cristianos desde hacía muchas generaciones.

madores de la Inquisición se enteran de la búsqueda de Yusuf y le llaman a declarar ante el Santo Oficio[19].

Esaú no se puede quedar mucho tiempo en Portugal, porque el rey solo les autoriza a estar seis meses. Siguen esperando para encontrar un barco que les lleve a Génova y, mientras, siguen pagando para tener información, comida y alojamiento. Hasta que por fin un día Esaú encuentra a un capitán que, por un precio no muy alto, está dispuesto a llevarles a Génova. Rápidamente se embarcan. Esaú quiere llegar a Génova antes de que Iselda esté en una fase más avanzada del embarazo y no pueda viajar. Esaú está muy delgado, porque la poca comida que consigue se la da a su mujer y a su hermana.

Yusuf va a la sede del Santo Oficio en Toledo y un monje le lleva a una habitación en la que otros dos le hacen muchas preguntas sobre sus creencias y sobre por qué va buscando una esposa con tanta urgencia entre los cristianos viejos.

Renegar: pasar de una religión a otra.

Él responde que **renegó** del judaísmo y que ha visto que Cristo en realidad sí era el Mesías, el hijo de Dios[20]. También les dice que busca mujer porque quiere formar una familia y que tiene prisa, porque empieza a hacerse mayor.

19 -Nombre con el que se conocía popularmente a la Inquisición.

20 -La no admisión de este dogma de fe es la gran diferencia entre el judaísmo y el cristianismo.

También le preguntan por sus anteriores estudios con los rabinos. Yusuf, inteligentemente, les responde que estudiando las escrituras ha sido como se ha dado cuenta de la verdad de Cristo, y que ha logrado convencer a su familia de sus nuevas creencias.

Esaú navega por primera vez. La sensación de las **olas** bajo el barco le encanta. El capitán portugués que les lleva a Génova va primero a Orán[21] para hacer unos negocios allí. Durante los tres días que están en Orán, Esaú piensa en quedarse allí. Es una ciudad con puerto y tiene mucha actividad comercial, por lo que cree que puede ser un buen sitio para crear un nuevo taller. Pero finalmente decide seguir el viaje a Génova, porque allí con las continuas guerras entre los príncipes italianos[22] tiene el futuro garantizado.

Ola: movimiento del mar.

Yusuf cree estar seguro después de su interrogatorio, pero se equivoca. Alguien ha debido de delatarle. Mientras estaba trabajando, unos soldados se lo llevan del taller a la cárcel.

Allí le interrogan durante horas, sin darle de comer ni de beber. Para **agotarle** aún más, no le dejan dormir en toda la noche. Sus padres están muy preocupados e intentan buscar ayuda por la ciudad, pero nadie quiere saber nada.

Agotar: cansar.

21 -Importante ciudad portuaria en el norte de África. En la actualidad pertenece a Argelia.

22 -La Italia del siglo XV no era un país unido, sino un grupo de pequeñas ciudades estados, como en la Grecia Antigua. Luchaban entre ellas continuamente para hacerse más poderosas e intentar unificar toda Italia bajo su propio poder.

Al segundo día, al ver que no confiesa que sigue haciendo prácticas judías, le torturan. El padre de Yusuf habla con el cocinero jefe del Alcázar, con el que se llevaba tan bien Yusuf, y este le promete que le ayudará. Que, si es preciso, le casará con su hija María. Yusuf no confiesa nada. La verdad es que desde su bautismo no ha vuelto a participar en rituales judíos.

Esaú, después de varios días navegando, llega a Génova. Está totalmente excitado con la nueva vida que le espera. Pero, cuando llegan, ven muchísimos barcos en la bahía. Desde uno pequeño los guardias les dicen que no pueden pasar con judíos, que tienen que pasar unos días para poder hacer los trámites legales. El capitán se enfada tanto que casi tira al mar a Esaú y su familia. El capitán quiere estar poco tiempo allí porque quiere vender unas mercancías que había comprado en Orán y volver a Lisboa antes de que acabe la temporada de navegación[23].

Yusuf, después de tres días de interrogatorios y de torturas, es liberado porque el cocinero jefe ha ido a hablar con uno de los inquisidores principales. El antiguo amigo de Yusuf, haciéndose el ofendido, preguntó por qué se había detenido a su futuro yerno. Así fue como Yusuf se enteró de que estaba prometido a la hija del cocinero jefe del Alcázar. Había conseguido, gracias a la Inquisición, lo que antes no conseguía por el temor

23 -Antiguamente, hasta la invención de los barcos más modernos, los barcos en invierno e incluso en algunas partes del otoño y la primavera no navegaban porque las aguas eran muy peligrosas.

que le tenía la gente a esta institución.

Yusuf se alegró mucho de salir de allí y de enterarse de su futura boda, sobre todo porque María, la hija del cocinero, era una chica muy guapa, más joven que él y, por lo tanto, en la edad ideal para casarse y formar una familia. Todo lo que Yusuf deseaba.

Esaú y su familia son abandonados por el capitán portugués en un pequeño bote con un poco de comida. Afortunadamente, todavía le quedan cosas de valor con las que poder convencer a los funcionarios de que les dejen desembarcar para buscar a su amigo el mercader. Mediante un chico que pasó junto a su bote en un barquito pesquero, Esaú logra mandar una carta a su amigo. A las pocas horas, este aparece en un pequeño barco para hablar con él.

-Amigo Esaú, qué mal te veo. Mira que te ofrecí venir conmigo la última vez que nos vimos -dice el mercader francés.

-Bueno, aquí estoy ahora -Esaú está tan delgado y débil que apenas tiene fuerzas para sonreír.

-Subid al barco y comed algo. He arreglado todo para que podáis llegar a tierra firme. Por desgracia las leyes son muy estrictas aquí. Los judíos viajeros no se pueden quedar más de tres días en la ciudad. Pero esos tres días los pasaréis en mi casa -dice el mercader.

-Muchas gracias -responden Iselda y la hermana de Esaú.

Mientras suben al barco del mercader francés, Esaú le presenta a sus familiares. Empiezan a comer con muchas ganas lo que les han llevado, por el hambre que tienen.

A pesar de que le habían liberado, Yusuf sigue sufriendo la visita de espías de la Inquisición, e incluso alguno de los que le habían torturado se acerca a hacerle preguntas a su propia casa. Quieren saber si lo de la boda es una trampa para evitar a la Inquisición o si es real. Para solucionar por completo el problema y, ya que los dos jóvenes, Yusuf y María, querían, finalmente se casan en la catedral de Toledo. Esta boda aleja definitivamente a la Inquisición de Yusuf y de su familia. Pero todos los días se enteran de que algún converso ha sido apresado e incluso matado por acusaciones de vecinos envidiosos que, por odio o problemas personales, acusan a sus vecinos para intentar sacar beneficio económico de ello.

Esaú vive tres días espléndidos en la casa de Henry, que así se llamaba el mercader francés. Mientras descan-

san del duro viaje y se alimentan bien, Henry les consigue colocar en un barco que va a Salónica[24], donde una numerosa comunidad judía **se está estableciendo**, con el visto bueno del sultán otomano, Bayaceto II[25]. Al tercer día, por la noche, su barco sale del puerto de Génova. Esaú jamás olvidó cuánto les había ayudado Henry. En poco más de una semana llegan a Salónica. Allí, por medio de otros sefardíes[26], conoce al jefe del clan de los Nasí. Esta es la más influyente y poderosa familia de toda Salónica. Gracias a ellos y a que les emocionó a todos con el triste relato sobre su viaje, Esaú consigue los permisos y el dinero suficiente para crear un nuevo taller de armas.

Establecerse: quedarse a vivir.

A los pocos meses de casarse, Yusuf se entera de que va a ser padre por primera vez. Las cosas vuelven a ir bien. Aunque la Inquisición sigue haciendo sufrir a muchos conversos, de momento parece que han olvidado a Yusuf y su familia. El taller va perfectamente y el horno vuelve a funcionar en toda su capacidad. El cocinero jefe del Alcázar, después de la boda, volvió a comprarles el pan, y poco a poco sus antiguos clientes vuelven a pedírselo. Como ahora son cristianos, no hay ningún problema en comprarles.

Justo el día en que María le dice a Yusuf que va a ser padre, este recibe una carta que viene de Salónica.

24 -Ciudad al noreste de Grecia, muy importante comercialmente en esta época.

25 -Grecia, durante esta época, pertenecía al imperio Otomano, cuyo centro estaba en Turquía. Bayaceto II (1447-1512) permitió la llegada de los judios españoles a su imperio e, incluso, envió a la Armada Turca a España para trasladar a los judíos expulsados.

26 -Nombre con el que se conoce a los judíos expulsados de España.

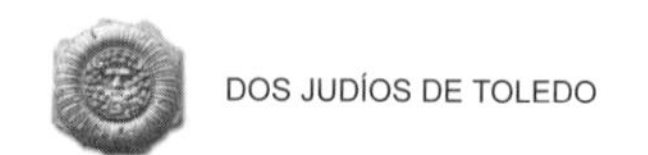

Yusuf, muy intrigado, abre la carta y la lee:

Querido primo:

He sido padre de un hermoso niño, llamado Jacob, al que ojalá algún día pueda dejar el taller, que seguro tú diriges perfectamente. A pesar de las dificultades del viaje, al final las cosas me van muy bien. Ahora vivo en Grecia, en los territorios del gran Sultán, porque es el único que nos deja vivir en paz, aunque nos cobra muchos impuestos por ello. Aquí tengo un nuevo taller de armas. Espero que todo os vaya bien a vosotros en Toledo. Saluda a mi madre y a tus padres.

Un abrazo,
Esaú

P.D.: Ya tienes una dirección a la que mandarme mis ganancias, ten en cuenta que tengo un hijo al que alimentar.

Yusuf sale corriendo a enseñarles la carta a sus padres y a su tía. Después de todas las cosas que les han pasado, por fin todo vuelve a ir bien.

Muchos judíos regresaron a España convertidos al cristianismo en los años siguientes, por un permiso especial que dieron los reyes[27], pero no todos. Muchos, como Esaú, no volvieron a pisar territorio español en su vida. Yusuf y su primo no volvieron a verse más, pero se escribieron durante toda su vida.

27 -Entre noviembre de 1492 y 1499.

ACTIVIDADES

Responde a las preguntas al mismo tiempo que lees el relato o después.

páginas 4 a 6

1. ¿Qué acontecimiento histórico hace que los cristianos estén contentos?

   ....

   ....

2. ¿Quiénes son Esaú y Yusuf? ¿Qué relación tienen?

   ....

   ....

3. ¿A qué se dedica el padre de Esaú?

   ....

   ....

4. ¿Y el padre de Yusuf?

   ....

   ....

5. ¿Por qué cambia la vida de Esaú?

   ....

   ....

páginas 7 a 12

6. ¿Qué piensa Yusuf sobre el final de la guerra? ¿Y Esaú?

   ....

   ....

7. Después de la guerra, ¿funciona bien la fábrica de Esaú? ¿Y el horno de Yusuf?

   ....

   ....

8. ¿Por qué va a tener problemas a partir de ahora Yusuf?

   ....

   ....

9. ¿Con quién y para qué se encuentra Esaú en las puertas de Toledo?

   ....

   ....

páginas 13 a 18

10. ¿Qué le recomienda un mercader francés a Esaú?
   ....
11. ¿Qué va a tener Esaú? ¿Está contento?
   ....
   ....
12. Un mensajero llega al taller de Esaú. ¿Qué les cuenta?
   ....
   ....
13. ¿Qué les recomienda hacer Abraham Seneor?
   ....

páginas 19 a 24

14. ¿Qué piensa Yusuf que va a pasar con el decreto? Y Esaú, ¿qué piensa que van a hacer los ricos judíos?
   ....
   ....
15. ¿Qué piensan hacer Esaú y Yusuf?
   ....
16. ¿Qué va a hacer Esaú con el taller de armas?
   ....
   ....

páginas 25 a 30

17. ¿Cómo ha cambiado la Aljaba después de conocer el decreto? ¿Qué hacen la mayoría de los judíos?
   ....
   ....
18. ¿Qué ocurre el día de la salida de Esaú?
   ....
19. ¿Qué hace Yusuf cuando se va Esaú?
   ....
   ....
20. ¿Cómo es le viaje de Esaú y su familia?
   ....

final

21. ¿Qué solución encuentra de forma inesperada Yusuf?
   ....
22. ¿Dónde se va a vivir Esaú y por qué?
   ....
   ....
23. ¿Qué carta recibe Yusuf y qué dice?
   ....
24. ¿Vuelven a verse Ysuf y Esaú?
   ....

GLOSARIO

Escribe la traducción de estas palabras en tu lengua.

abrazo, el ....
abuelo/a, el/la ....
acero, el ....
acogedor/-a ....
acusar ....
admitir ....
agosto ....
agotar ....
agua, el ....
ahorrar ....
aire, el ....
alejar ....
alimentar ....
alimento, el ....
alojamiento, el ....
antepasados, los ....
apenar ....
armería, la ....
arreglar ....
arruinar ....
artesano/a, el/la ....
averiguar ....
avisar ....
basura, la ....
beneficio, el ....
boda, la ....
bote, el ....
brujo/a, el/la ....
burro/a, el/la ....
campesino/a, el/la ....
cárcel, la ....
carro, el ....
casarse ....
cerrojo, el ....
cesto, el ....
cliente, el/la ....
cocina, la ....
cocinero/a, el/la ....
comerciante, el/la ....
conducir ....
confesar ....
conservar ....
conversión, la ....
débil ....
decreto, el ....
delatar ....
delgado/a ....
demostrar ....
derecha, la ....
desconfianza, la ....
desembarcar ....
dudar ....
dueño/a, el/la ....
edad, la ....
embarazada ....
embarcar ....
empeorar ....
empleado/a, el/la ....
equivocarse ....
esconder ....
espada, la ....
esposo/a, el/la ....
estrecho/a ....
estricto/a ....
estudiar ....
exaltado/a ....

expulsión, la ....
fabricar ....
florecer ....
fragua, la ....
frontera, la ....
funcionario/a, el/la ....
gasto, el ....
generación, la ....
grano, el ....
habitual ....
heredar ....
horno, el ....
iglesia, la ....
impuestos, los ....
influyente ....
información, la ....
informador/-a, el/la ....
insistir ....
interrogar ....
jadear ....
judío/a, el/la ....
jugar ....
julio ....
ley, la ....
llave, la ....
madre, la ....
mal ....
mensaje, el ....
mercancía, la ....
molino, el ....
navegación, la ....
navegar ....
negocio, el ....
noble ....
odio, el ....
orilla, la ....
país, el ....
paliza, la ....
permiso, el ....
permitir ....
persecución, la ....
plata, la ....
precio, el ....
primo/a, el/la ....
príncipe/esa, el/la ....
rebajar ....
regalar ....
regatear ....
regreso, el ....
responsabilidad, la ....
responsable ....
reunión, la ....
rito, el ....
sensación, la ....
sentimiento, el ....
sinagoga, la ....
sobrino/a, el/la ....
sospechar ....
subir ....
suceso, el ....
sufrir ....
taller ....
tener prisa ....
territorio, el ....
tío/a, el/la ....
tortura, la ....
torturar ....
trabajador/-a, el/la ....
vago/a ....
vergüenza, la ....
vigilar ....
yerno, el ....